劉福春・李怡 主編

民國文學珍稀文獻集成

第二輯

新詩舊集影印叢編　第73冊

【徐志摩卷】

志摩的詩

上海：新月書店 1928 年 8 月重版

徐志摩　著

花木蘭文化事業有限公司

國家圖書館出版品預行編目資料

志摩的詩／徐志摩　著——初版——新北市：花木蘭文化事業有限公司，
2017〔民106〕
158面；19×26公分
（民國文學珍稀文獻集成・第二輯・新詩舊集影印叢編　第73冊）
ISBN 978-986-485-151-5（套書精裝）
831.8　　106013764

民國文學珍稀文獻集成・第二輯・新詩舊集影印叢編（51-85冊）
第73冊

志摩的詩

著　者　徐志摩
主　編　劉福春、李怡
企　劃　首都師範大學中國詩歌研究中心
　　　　北京師範大學民國歷史文化與文學研究中心
　　　　（臺灣）政治大學民國歷史文化與文學研究中心
總編輯　杜潔祥
副總編輯　楊嘉樂
編　輯　許郁翎、王筑　美術編輯　陳逸婷
出　版　花木蘭文化事業有限公司
社　長　高小娟
聯絡地址　235 新北市中和區中安街七二號十三樓
　　　　電話：02-2923-1455／傳眞：02-2923-1452
網　址　http://www.huamulan.tw 信箱 hml 810518@gmail.com
印　刷　普羅文化出版廣告事業
初　版　2017年9月
定　價　第二輯51-85冊（精裝）新台幣88,000元

志摩的詩

徐志摩 著

新月書店（上海）一九二八年八月重版。原書三十二開。

志摩的詩

志摩的詩目錄

雪花的快樂

假如我是一朵雪花，
翩翩的在半空裏瀟洒，
我一定認清我的方向——
飛颺，飛颺，飛颺，——
這地面上有我的方向。

不去那冷寞的幽谷，

不去那淒清的山麓,
　也不上荒街去惆悵——
　飛颺,飛颺,飛颺,——
你看,我有我的方向!

在半空裏娟娟的飛舞,
認明了那清幽的住處,
　等着她來花園裏探望——
　飛颺,飛颺,飛颺,——
啊,她身上有硃砂梅的清香!

那時我憑藉我的身輕，
盈盈的，沾住了她的衣襟，
貼近她柔波似的心胸——
消溶，消溶，消溶——
溶入了她柔波似的心胸！

沙揚娜拉一首

贈日本女郎

最是那一低頭的温柔，
像一朵水蓮花不勝涼風的嬌羞，
道一聲珍重，道一聲珍重，
那一聲珍重裏有蜜甜的憂愁——
沙揚娜拉！

落葉小唱

一陣聲響轉上了階沿
（我正挨近著夢鄉邊；）
這回準是她的腳步了，我想——
在這深夜！

一聲剝啄在我的窗上
（我正靠緊著睡鄉旁；）

這準是她來鬧著玩—你看，
　我偏不張皇！
一個聲息貼近我的床，
我說（一半是睡夢，一半是迷惘：）—
「你總不能明白我，你又何苦
　多叫我心傷！」
一聲喟息落在我的枕邊
（我已在夢鄉裏留戀；）

『我負了你』你說——你的熱淚
　燙著我的臉！

這音響惱著我的夢魂：
（落葉在庭前舞，一陣，又一陣；）
夢完了，阿，回復清醒；惱人的——
　却只是秋聲！

爲誰

這幾天秋風來得格外的尖厲：
　我怕看我們的庭院，
　樹葉傷鳥似的猛旋，
　中著了無形的利箭——
沒了，全沒了：生命，顏色，美麗：
就剩下西牆上的幾道爬山虎：

他那豹斑似的秋色，
忍憖著風拳的打擊，
低低的喘一聲烏邑！
「我爲你耐著！」他彷彿對我聲訴。

他爲我耐著！那艷色的秋蘿，
但秋風不容情的追，
追，（一摧殘是他的恩惠！）
追盡了生命的餘輝！
這回牆上不見了勇敢的秋蘿！

○

今夜那青光的三星在天上
傾聽著秋後的空院，
悄悄的，更不聞嗚咽：
落葉在泥土裏安眠！
只我在這深夜，啊，爲誰悽惘？

問誰

問誰？阿，這光陰的播弄

　問誰去聲訴，

在這凍沈沈的深夜，淒風

　吹拂她的新墓？

「看守，你須用心的看守，

　這活潑的流谿，

莫錯過，在這清波裏優遊，
　青臍與紅鰭！』

那無聲的私語在我的耳邊
　似曾幽幽的吹噓，——
像秋霧裏的遠山半化煙，
　在曉風前卷舒。

因此我緊攬著我生命的繩網，
　像一個守夜的漁翁，

兢兢的，注視著那無盡流的時光——
私冀有彩鱗掀湧。

但如今，如今只餘這破爛的漁網——
嘲諷我的希翼，

我喘息的悵望著不復返的時光：
淚依依的憔悴！

又何況在這黑夜裏徘徊：
黑夜似的痛楚：

一個星芒下的黑影悽迷——
　留連著一個新墓！
問誰……我不敢愴呼，怕驚擾
　這墓底的清淳；
我俯身，我伸手向她摟抱——
　阿，這半濕潤的新墳！

這慘人的曠野無有邊沿，
　遠處有村火星星，

14

叢林中有鵖鴞在悍辯！
　此地有傷心隻影！

這燊夜，深沈的，環包著大地：
　籠罩著你與我！

你，靜悽悽的安眠在墓底；
　我，在迷醉裏摩挲！

正願天光更不從東方
　按時的泛濫：

我便永遠依偎著這墓旁——
　在沈寂裏消幻——

但青曦已在那天邊吐露，
　蘇醒的林鳥，
已在遠近間相應的喧呼——
　又是一度清曉。

不久，還嚴冬過去，東風
　又來催促青條：

便粧綴這冷落的墓宮，
　亦不無花瓣飄飆。

但爲你，我愛，如今永遠封禁
　在這無情的地下！
我更不盼天光，更無有春信：
　我的是無邊的黑夜！

這是一個懦怯的世界

這是一個懦怯的世界：
　容不得戀愛，容不得戀愛！
披散你的滿頭髮，
赤露你的一雙脚；
　跟著我來，我的戀愛，
拋棄這個世界
殉我們的戀愛！

13

我拉著你的手，
愛，你跟著我走；
聽憑荊棘把我們的脚心刺透，
聽憑冰雹劈破我們的頭，
你跟著我走，
我拉著你的手，
逃出了牢籠，恢復我們的自由！

跟著我來，

我的戀愛！
人間已經掉落在我們的後背，——
看呀，這不是白茫茫的大海？
白茫茫的大海，
白茫茫的大海，
無邊的自由，我與你與戀愛！

順著我的指頭看，
那天邊一小星的藍——
那是一座島，島上有青草，

20

鮮花，美麗的走獸與飛鳥；
快上這輕快的小艇，
去到那理想的天庭——
戀愛，歡欣，自由——辭別了人間，永遠！

去罷

去罷，人間，去罷！
我獨立在高山的峯上；
去罷，人間，去罷！
我面對著無極的穹蒼。
去罷，青年，去罷！
與幽谷的香草同埋；

去罷，青年，去罷！
悲哀付與暮天的羣鴉。

去罷，夢鄉，去罷！
我把幻景的玉杯摔破；

去罷，夢鄉，去罷！
我笑受山風與海濤之賀。

去罷，種種，去罷！
當前有插天的高峯！

去罷，一切，去罷！
當前有無窮的無窮！

一星弱火

我獨坐在半山的石上，
　看前峯的白雲蒸騰，
一隻不知名的小雀，
　嘲諷着我迷惘的神魂。

白雲一餅餅的飛昇，
　化入了遼遠的無垠；

但在我逼仄的心頭，啊，
卻凝斂著慘霧與愁雲！

皎潔的晨光已經透露，
洗淨了青嶼似的前峯；
像墓墟間的燐光慘淡，
一星的微焰在我的胸中。

但這慘淡的弱火一星，
照射著殘骸與餘燼，

雖則是往跡的嘲諷，
却緜緜的長隨時間進行！

為要尋一個明星

我騎著一匹拐腿的瞎馬，
向著黑夜裏加鞭；——
向著黑夜裏加鞭，
我跨著一匹拐腿的瞎馬。

我衝入這黑綿綿的昏夜，
為要尋一顆明星；——

為要尋一顆明星，
我衝入這黑茫茫的荒野。
累壞了，累壞了我跨下的牲口。
那明星還不出現；——
那明星還不出現，
累壞了，累壞了馬鞍上的身手。
這回天上透出了水晶似的光明，
荒野裏倒著一隻牲口，

黑夜裏躺著一具屍首。——

這回天上透出了水晶似的光明！

30

不再是我的乖乖

（一）

前天我是一個小孩，
這海灘最是我的愛；
早起的太陽賽如火爐，
趁暖和我來做我的工夫：
檢滿一衣兜的貝殼，
在這海砂上起造宮闕：

哦，這浪頭來得凶惡，
衝了我得意的建築——
我喊一聲海，海！
你是我小孩兒的乖乖！

（二）

昨天我是一個「情種」，
到這海灘上來發瘋；
西天的晚霞慢慢的死，
血紅變成薑黃，又變紫，

82

一顆星在半空裏窺伺，
我匍伏在砂堆裏畫字，
一個字，一個字，又一個字，
誰說不是我心愛的遊戲？
我喊一聲海，海！
不許你有一點兒的更改！

（三）

今天！咳，爲什麼要有今天？
不比從前，沒了我的瘋癲，

再沒有小孩時的新鮮，
這回再不來這大海的邊沿！
頭頂不見天光的方便，
海上只鬧沈沈的一片，
暗潮侵蝕了砂字的痕跡，
却衝不淡我悲慘的顏色——
我喊一聲海，海！
你從此不再是我的乖乖！

84

多謝天！我的心又一度的跳盪

多謝天！我的心又一度的跳盪，
這天藍與海青與明潔的陽光
驅淨了梅雨時期無歡的蹤跡，
也散放了我心頭的網羅與紐結，
像一朵曼陀羅花英英的露爽，
在空靈與自由中忘却了迷惘：——
迷惘，迷惘！也不知來自何處，

囚禁著我心靈的自然的流露，
可怖的夢魘，黑夜無邊的慘酷，
甦醒的盼切，只增劇靈魂的麻木！
曾經有多少的白晝，黃昏，清晨，
嘲諷我這蠶繭似不生產的生存？
也不知有幾遭的明月，星羣，晴霞，
山嶺的高亢與流水的光華……
辜負！辜負自然界叫喚的殷勤，
驚不醒這沉醉的昏迷與頑冥！

如今，多謝這無名的博大的光輝，
在艷色的青波與綠島間縈洄，
更有那漁船與航影，亭亭的黏附
在天邊，喚起遼遠的夢景與夢趣：
我不由的驚悚我不由的感愧
（有時微笑的嫵媚是啟悟的棒槌；！）
是何來倏忽的神明，為我解脫
憂愁，新竹似的，豁裂了外籜，
透露內裏的青篁，又為我洗淨
障眼的盲翳，重見宇宙間的歡欣。

這或許是我生命重新的機兆；
大自然的精神！容納我的祈禱，
容許我的不躊躇的注視，容許
我的熱情的獻致，容許我保持
這顯示的神奇，這現在與此地，
這不可比擬的一切間隔的毀滅！
我更不問我的希望，我的惆悵，
未來與過去只是渺茫的幻想，
更不向人間訪問幸福的進門，

只求每時分給我不死的印痕,—

變一顆埃塵,一顆無形的埃塵,

追隨著造化的車輪,進行,進行……

我有一個戀愛

我有一個戀愛;——
我愛天上的明星;
我愛他們的晶瑩:
人間沒有這異樣的神明,

在冷峭的暮冬的黃昏,
在寂寞的灰色的清晨。

40

在海上，在風雨後的山頂
　永遠有一顆，萬顆的明星！」

山澗邊小草花的知心，
高樓上小孩童的歡欣，
旅行人的燈亮與南針：
　萬萬里外閃鑠的精靈！」

我有一個破碎的魂靈，
像一堆破碎的水晶，

散布在荒野的枯草裏」
　飽啜你一瞬瞬的殷勤。

人生的冰激與柔情，
　我也曾嘗味，我也曾容忍；
　有時階砌下蟋蟀的秋吟，
　　引起我心傷，逼迫我淚零。

　我袒露我的坦白的胸襟，
獻愛與一天的明星；

任憑人生是幻是眞，
地球存在或是消泯——
太空中永遠有不昧的明星！

無題

原是你的本分，朝山人的脛踝，
這荊刺的傷痛！回看你的來路，
看那草叢亂石間斑斑的血迹，
在暮靄裏記認你從來的踪蹟！
且緩撫摩你的肢體，你的止境
還遠在那白雲環拱處的山嶺！

無聲的暮煙，遠從那山麓與林邊，
漸漸的潮沒了這曠野，這荒天，
你渺小的孑影面對這冥盲的前程，
像在怒濤間的輕航失去了南針；
更有那黑夜的恐怖，悚骨的狼嘷，
狐鳴，鷹歔，蔓草間有蝮蛇纏繞！

退後？——昏夜一般的吞蝕血染的來蹤，
倒地？——這懦怯的累贅問誰去收容？
前衝？阿，前衝！衝破這黑暗的冥凶，

衝破一切的恐怖，遲疑，畏葸，苦痛，
血淋漓的踐踏過三角稜的勁刺，
叢莽中伏獸的利爪，蜿蜒的蟲豸！

前衝；靈魂的勇是你成功的秘密！
這回你看，在這決心捨命的瞬息，
迷霧已經讓路，讓給不變的天光，
一彎青玉似的明月在雲隙裏探望，
依稀窗紗間美人啟齒的瓠犀，——
那是靈感的贊許，最恩寵的贈與！

更有那高峯，你那最想望的高峯，
亦已湧現在當前，蓮苞似的玲瓏，
在藍天裏，在月華中，穠艷，崇高，——
朝山人，這異象便是你跋涉的酬勞！

消息

雷雨暫時收斂了；
　雙龍似的雙虹，
　顯現在霧靄中，
　天矯，鮮艷，生動，——
好兆！明天准是好天了。
什麼！又　是一陣　打雷了，——

在雲外，在天外，
又是一片闇淡，
不見了鮮虹彩，——
希望，不曾站穩，又毀了。

夜半松風

這是冬夜的山坡，
　坡下一座冷落的僧廬，
　廬內一個孤獨的夢魂：
在懺悔中祈禱，在絕望中沈淪：

　為什麼這怒嗷，這狂歡，
鼉鼓與金鉦與虎與豹？

爲什麼這幽訴，這私慕？
烈情的慘劇與人生的坎坷——
　又一度潮水似的淹沒了
這彷徨的夢魂與冷落的僧廬？

月下雷峯影片

我送你一個雷峯塔影，
滿天稠密的黑雲與白雲；
我送你一個雷峯塔頂，
明月瀉影在眠熟的波心。

深深的黑夜，依依的塔影，
團團的月彩，纖纖的波鱗——

52

假如你我蕩一支無遮的小艇，
假如你我創一個完全的夢境！

滬杭車中

匆匆匆！催催催！
一捲煙，一片山，幾點雲影，
一道水，一條橋，一支櫓聲，
一林松，一叢竹，紅葉紛紛：

艷色的田野，艷色的秋景，
夢境似的分明，模糊，消隱，——

催催催！是車輪還是光陰？
催老了秋容，催老了人生！

難得

難得，夜這般的清靜，
　難得，爐火這般的溫，
更是難得，無言的相對，
　一雙寂寞的靈魂！

也不必籌營，也不必訴論，
　更沒有慮憍，猜忌與嫌憎，

63

只靜靜的坐對着一爐火
只靜靜的默數遠巷的更。

喝一口白水，朋友，
滋潤你的乾裂的口唇；
你添上幾塊煤朋友，
一爐的紅餤感念你的殷勤。

在冰冷的冬夜，朋友，
人們方始珍重難得的爐薪；

57

在這冰冷的世界，
方始凝結了少數同情的心！

古怪的世界

從松江的石湖塘
上車來老婦一雙，
顫巍巍的承住弓形的老人身，
多謝（我猜是）普渡山的盤龍藤：
青布棉襖，黑布棉套，
頭毛半禿，齒牙半耗：

肩挨肩的坐落在陽光暖暖的窗前，
畏葸的，呢喃的，像一對寒天的老燕；

震震的乾枯的手背，
震震的皺縮的下頰：
這二老是妯娌，是姑嫂，是姊妹？——
緊挨著，老眼中有傷悲的眼淚！

憐憫！貧苦不是卑賤，
老衰中有無限莊嚴；——

60

老年人有什麼悲哀，爲什麼悽傷？
爲什麼在這快樂的新年，拋却家鄉？

同車裏雜遝的人聲，
軌道上疾轉著車輪，

我獨自的，獨自的沈思這世界古怪——
是誰吹弄著那不調諧的人道的音籟？

天國的消息

可愛的秋景！無聲的落葉，
輕盈的輕盈的，掉落在這小徑，
竹籬內，隱約的，有小兒女的笑聲：

嘤嘤的清音，繚繞著村舍的靜謐，
彷彿是幽谷裏的小鳥，歡噪著清晨，
驅散了昏夜的晦塞，開始無限光明。

62

曇那的歡欣，曇花似的湧現，
開豁了我的情緒，忘却了春戀，
人生的惶惑與悲哀，惆悵與短促！
在這稚子的歡笑聲裏，想見了天國！

晚霞泛濫著金色的楓林，
涼風吹拂著我孤獨的身形；
我靈海裏嘯響著偉大的波濤，
應和更偉大的脈搏，更偉大的靈潮！

鄉村裏的音籟

小舟在垂柳蔭間緩泛——
一陣陣初秋的涼風，
吹生了水面的漪絨，
吹來兩岸鄉村裏的音籟。

我獨自憑著船窗閒憩，
靜看著一河的波幻，

64

靜聽著遠近的音籟——
又一度與童年的情景默契！
這是清脆的稚兒的呼喚，
　田場上工作紛紜，
　竹籬邊犬吠雞鳴：
但這無端的悲感與悽惻！
　白雲在藍天裏飛行：
　我欲把惱人的年歲，

65

我欲把惱人的情愛，
託付與無涯的空靈——消泯；
回復我純樸的，美麗的童心：
像山谷裏的冷泉一勺，
像曉風裏的白頭乳鵲，
像池畔的草花，自然的鮮明。

66

她是睡著了

她是睡著了——
星光下一朵斜欹的白蓮；
她入夢境了——
香爐裏裊起一縷碧螺烟。

她是眠熟了——
澗泉幽抑了喧響的琴絃；

她在夢鄉了——
粉蝶兒，翠蝶兒，翻飛的歡戀。

停勻的呼吸：
清芬滲透了她的周遭的清氛；
有福的清氛
懷抱著，撫摩著，她纖纖的身形！

奢侈的光陰！
靜，沙沙的盡是閃亮的黃金，

68

平鋪著無垠｜
波鱗間輕漾著光艷的小艇。

醉心的光景：
給我披一件彩衣，啜一罇芳醴，
折一支藤花，
舞，在葡萄叢中，顛倒，昏迷。

看呀，美麗！
三春的顏色移上了她的香肌，

　是玫瑰，是月季，
是朝陽裏的水仙，鮮妍，芳菲！
　夢底的幽秘，
挑逗著她的心—純潔的靈魂—
　像一只蜂兒，
在花心，恣意的唐突—溫存。
　童眞的夢境！
靜默；休教驚斷了夢神的慇懃；

抽一絲金絡，

抽一絲銀絡，抽一絲晚霞的紫曛；

玉腕與金梭，

織縑似的精審，更番的穿度——

化生了彩霞，

神闕，安琪兒的歌，安琪兒的舞。

可愛的梨渦，

解釋了處女的夢境的歡喜，

像一顆露珠，
顫動的，在荷盤中閃耀著晨曦！

五老峯

不可搖撼的神奇，
　不容注視的威嚴，
這聳峙，這橫蟠，
　這不可攀援的峻險！
看！那巉嚴缺處
　透露著天，窈遠的蒼天，
在無限廣博的懷抱間，

　　這旁礴的偉象顯現！
是誰的意境，是誰的想像？
　　是誰的工程與搏造的手痕？
在這亘古的空靈中
　　陵慢著天風，天體與天氛！
有時朵朵明媚的彩雲，
　　輕顫的粧綴著老人們的蒼鬢，
像一樹虬幹的古梅在月下
　　吐露了艷色鮮葩的清芬！

74

山麓前伐木的村童，
在山澗的清流中洗濯，呼歡，
認識老人們的嗔懟，
迷霧海沫似的噴湧，鋪罩，
淹沒了谷內的青林，
隔絕了鄱陽：的水色嫋淼，
陡壁前閃亮著火電，聽呀！
五老們在渺茫的霧海外狂笑！

朝霞照他們的前胸，
　晚霞戲逗著他們赤禿的頭顱；
黃昏時，聽異鳥的歡呼，
　在他們鳩盤的肩旁怯怯的透露
不昧的星光與月彩：
　柔波裏緩泛著的小艇與輕舸。
聽呀！在海會靜穆的鐘聲裏，
　有朝山人在落葉林中過路！
更無有人事的虛榮，

76

　更無有塵世的倉促與噩夢

靈魂！記取這從容與偉大，

　在五老峯前飽啜自由的山風！

這不是山峯，這是古聖人的祈禱，

　凝聚成這『凍樂』似的建築神工，

給人間一個不朽的憑證，——

　一個『崛強的疑問』在無極的藍空！

朝霧裏的小草花

這豈是偶然，小玲瓏的野花！
你輕含着閃亮的珍珠，
像是慕光明的花蛾，
在黑暗裏想念著燄，彩晴霞；
我此時在這蔓草叢中過路，
無端的內感惘悵與驚訝，

78

在這迷霧裏，在這岩壁下，
悶忖着淚怦怦的，人生與餅露？

在那山道旁

在那山道旁，一天霧濛濛的朝上，
初生的小藍花在草叢裏窺覷，
我送別她歸去，與她在此分離，
在青草裏飄拂，她的潔白的裙衣。

我不曾開言，她亦不曾告辭，
駐足在山道旁，我黯黯的尋思；

80

「吐露你的秘密這不是最好時機？」——
露濕的小草花，彷彿惱我的遲疑。

爲什麼遲疑，這是最後的時機，
在這山道旁，在這霧盲在朝上？
收集了勇氣，向着她我旋轉身去：——
但是阿！爲什麼她這滿眼悽惶？

我咽住了我的話，低下了我的頭：
火灼與冰激在我的心胸間迴盪，

阿，我認識了我的命運，她的憂愁——
在這濃霧裏，在這淒清的道旁！

在那天朝上，在霧茫茫的山道旁，
新生的小藍花在草叢裏睥睨，
我目送她遠去，與她從此分離——
在青草間飄拂，她那潔白的裙衣！

石虎胡同七號

我們的小園庭，有時蕩漾着無限溫柔：
善笑的藤孃，袒酥懷任團團的柿掌綢繆，
百尺的槐翁，在微風中俯身將棠姑抱摟；
黃狗在籬邊，守候睡熟的珀兒，他的小友；
小雀兒新製求婚的艷曲，在媚唱無休——
我們的小園庭，有時蕩漾着無限溫柔。

我們的小園庭，有時淡描着依稀的夢景；
雨過的蒼茫與滿庭蔭綠，織成無聲幽暝，
小蛙獨坐在殘蘭的胸前，聽隔院蚓鳴
一片化不盡的雨雲，倦展在老槐樹頂，
掠檐前作圓形的舞旋，是蝙蝠，還是蜻蜓？——
我們的小園庭，有時淡描着依稀的夢景。

我們的小園庭，有時輕喟着一聲奈何；
奈何在暴雨時雨搥下搗爛鮮紅無數
奈何在新秋時未凋的青葉惆悵地辭樹，

奈何在深夜裏，月兒乘雲艇歸去，西牆已度，
遠巷薤露的樂音，一陣陣被冷風吹過—
我們的小園庭有時輕喟着一聲奈何。

我們的小園庭，有時沉浸在快樂之中；
雨後的黃昏，滿院只美蔭，清香與涼風，
大量的蹇翁，巨樽在手，蹇足直指天空，
一斤，兩斤，杯底喝盡，滿懷酒歡，滿面酒紅，
連珠的笑響中，浮沉着神仙似的酒翁—
我們的小園庭，有時沉浸在快樂之中。

先生！先生！

鋼絲的車輪：
在偏僻的小巷內飛奔——
『先生，我給先生請安您哪，先生。』

迎面一蹲身
一個單布褂的女孩顫動着呼聲——
雪白的車輪在冰冷的北風裏飛奔。

緊緊的跟，緊緊的跟，
破爛的孩子追趕着鑠亮的車輪——
『先生，可憐我一大化吧善心的先生！』
『可憐我的媽，
她又餓又涷又病，躺在道兒邊直呻——
您修好，賞給我們一頓窩窩頭您哪，先生！』
『沒有帶子兒，』

坐車的先生說，車裏藏大皮帽的先生——
飛奔，急轉的雙輪，緊追，小孩的呼聲。

一路旋風似的土塵，
土塵裏飛轉着銀晃晃的車輪——
『先生，可是您出門不能不帶錢您哪，先生。』

『先生！……先生！』
紫漲的小孩，氣喘着，斷續的呼聲——
飛奔，飛奔，橡皮的車輪不住的飛奔。

飛奔…………先生…………

飛奔…………先生…………

先生：先生：先生…………

呌化活該

「行善的大姑，修好的爺，」
西北風尖刀似的猛刺着他的臉，
「賞給我一點你們吃賸的油水吧！」
一團模糊的黑影，捱緊在大門邊。

「可憐我快餓死了，發財的爺，」
大門內有歡笑，有紅爐，有玉杯；

「可憐我快凍死了，有福的爺，」
大門外西北風笑說，「叫化活該！」

我也是戰栗的黑影一堆，
蜷伏在人道的前街；
我也只要一些同情的溫暖，
遮掩我的剮殘的餘骸——

但這沈沈的緊閉的大門：誰來理睬；
街道上只冷風的嘲諷，「叫化活該！」

誰知道

我在深夜裏坐着車回家——
一個襤褸的老頭他使着勁兒拉；
天上不見一個星，
街上沒有一只燈：
那車燈的小火
衝着街心裏的土——
左一個顛播，右一個顛播，

拉車的走着他的踉蹌步；

……………………

『我說拉車的，這道兒那兒能這麼的黑？』

『可不是先生？這道兒真——真黑！』

他拉——拉過了一條街，穿過了一座門，

轉一個灣，轉一個灣，一般的暗沈沈；——

天上不見一個星，

街上沒有一個燈，

那車燈的小火

豪著街心裏的土——
左一個顛播，右一個顛播，
拉車的走著他的踉蹌步；
……………………

「我說拉車的，這道兒那兒能這麼的靜？」
「可不是先生？這道兒眞——眞靜！」
他拉——緊貼著一垛牆，長城似的長，
過一處河沿轉入了黑遙遙的曠野；——
天上不露一顆星，

94

那邊青綠綠的是鬼還是人？
彷彿聽着烏咽與笑聲——
阿，原來這徧地都是墳！
天上不亮一顆星，
道上沒有一只燈：
那車燈的小火
綠着道兒上的土——
左一顛播播，右一個顛播，
拉車的跨着他的蹌踉步；
……………………

道上沒有一只燈
那車燈的小火
晃著道兒上的土——
左一個顛播，右一個顛播，
拉車的走著他的踉蹌步；
……………………
『我說拉車的，怎麼這道兒上一個人都不見？』
『倒是有，先生，就是您不大瞧得見！』
我骨髓裏一陣子的冷——

「我說——我說拉車的喂！這道兒那……那兒有這麼遠？」

「可不是先生？這道兒眞——眞遠！」

「可是……你拉我回家……你走錯了道兒沒有！」

「誰知道先生！誰知道走錯了道兒沒有！」

……………………

我在深夜裏坐着車回家，

一堆不相識的襤褸他使着勁兒拉；——

天上不明一顆星，

道上不見一只燈：
只那車燈的小火
蟲着道兒上的土——
左一個顛播，右一個顛播，
拉車的跨着他的蹣跚步。

98

殘詩

怨誰？怨誰？這不是青天裏打雷？

關着，鎖上；趕明兒瓷花磚上堆灰！

別瞧這白石台階兒光滑，趕明兒，唉，

石縫裏長草，石板上青青的全是莓！

那廊下的青玉缸裏養着魚，眞鳳尾，

可還有誰給換水，誰給撈草，誰給喂？

要不了三五天準翻著白肚鼓著眼，

不浮著死，也就讓冰分兒壓一個扁！
頂可憐是那幾個紅嘴綠毛的鸚哥，
讓娘娘教得頂乖，會跟着洞簫唱歌，
眞嬌養慣，喂食一遲，就叫人名兒罵，
現在，您叫去！就剩空院子給您答話！……

100

蓋上幾張油紙

一片，一片，半空裏
　掉下雪片；
有一個婦人，有一個婦人，
　獨坐在階沿。
虎虎的，虎虎的，風響
　在樹林間；

有一個婦人，有一個婦人，
獨自在哽咽。
爲什麼傷心，婦人，
這大冷的雪天？
爲什麼啼哭，莫非是
失掉了釵鈿？
不是的，先生不是的，
不是爲釵鈿；

102

也是的，也是的，我不見了
我的心戀。

那邊松林裏，山脚下，先生。
有一隻小木篋，
裝着我的寶貝，我的心，
三歲兒的嫩骨！

昨夜我夢見我的兒：
叫一聲「娘呀——

天冷了，天冷了，天冷了，
　兒的親娘呀！』
今天果然下大雪，屋檐前
　望得見冰條，
我在冷冰冰的被窩裏摸——
　摸我的寶寶。
方才我買來幾張油紙，
　蓋在兒的床上；

我喚不醒我熟睡的兒——
　我因此心傷。

一片，一片，半空裏
　掉下雪片；
有一個婦人，有一個婦人，
　獨坐在階沿。

虎虎的，虎虎的，風響
　在樹林間；

有一個婦人，有一個婦人，
獨自在哽咽。

太平景象

「賣油條的，來六根——再來六根。」

「要香煙嗎，老總們，大英牌，大前門？

多留幾包也好，前邊什麼買賣都不成。」

「這鎗好，德國來的，裝彈時手順；」

「我哥有信來，前天，說我媽有病；」

「哼，管得你媽，咱們去打仗要緊。」

『虧得在江南，離著家千里的路程，
要不然我的家裏人……唉，管得他們
眼紅眼靑，咱們吃糧的眼不見爲淨！』
『說是，這世界！做鬼不幸，活著也不稱心；
誰沒有家人老小，誰願意來當兵拚命？』
『可是你不聽長官說，打傷了有郵金？』
『我就不希罕那猫兒哭耗子的郵金！

腦袋就是一個，我就想不透爲麽要上陣，
砰，砰，打自個兒的弟兄，損己，又不利人。
「你不見李二哥回來，爛了半個臉，全靑？
他說前邊稻田裏的屍體，簡直像牛糞，
全的，殘的，死透的，半死的，爛臭，難聞。」
「我說這兒江南人倒懂事，他們死不當兵；
你看這路旁的皮棺，那田裏玲巧的享亭，
草也靑，樹也靑，做鬼也落個淸靜：

『比不得我們——可不是火車已經開行?——
天生是稻田裏的牛糞——唉,稻田裏的牛糞!』
『喂,賣油條的,趕上來,快,我還要六根。』

卡爾佛里

喂，看熱鬧去，朋友！ 在那兒？
卡爾佛里。 今天是殺人的日子；
兩個是賊，還有一個——不知到底
是誰？有人說他是一個魔鬼；
有人說他是天父的親兒子，
米賽亞……看，那就是，他來了！
咦為什麼有人替他抗着

他的十字架？你看那兩個賊，
滿頭的亂髮，眼睛裏燒着火，
十字架壓著他們的肩背！
他們跟著耶穌走著；唉耶穌
他到底是誰？他們都說他有
權威，你看他那樣子頂和善，
頂謙卑——聽著，他說話了！他說：
「父呀，饒恕他們罷，他們自己
都不知道他們犯的是什麼罪。」
我說你覺不覺得他那話怪，

聽了叫人毛管裏直淌冷汗!
那黃頭毛的賊,你看,好像是
夢醒了,他臉上全變了氣色,
眼裏直流著白豆粗的眼淚;
準是變善了!誰要能救了他,
保管他比祭司不差什麼高矮!
……
再看那婦女們!小羊似的一羣,
也跟著耶穌的後背,頭也不包,
髮也不梳,直哭,直叫,直嚷,
倒像上十字架的是他們親生

兒子倒像明天太陽不透亮……
再看那羣得意的猶太，法利賽，
法利賽，穿着長袍，戴著高帽，
一臉的奸相。他們也跟在後背，
他們這才得意哪，瞧他們那笑！
我眞受不了那假味兒，你呢？
聽他們還嚷著哪：『快點兒走，
上「人頭山」去，釘死他，活釘死他！』……
唉，躲在牆邊高個兒的那個？
不錯，我認得，黑黑的，臉矮矮的，

就是他他該死，他就是猶大斯！
不錯，他的門徒。門徒算什麼！
耶穌就讓他賣，賣現錢，你知道！
他們也不止一半天的交情哪：
他跟著耶穌喫苦就有好幾年
誰知他貪小變了心，眞是狗屎！
那還只前天，我聽說，他們一起
喫晚飯，耶穌與他十二個門徒，
猶大斯就算一枚；耶穌早知道，
遲早他的命，他的血得讓他賣；

可不是他的血？喫晚飯時他說，
「他把自己的肉喂他們的餓，
也把他自己的血止他們的渴，」
意思要他們逢著患難時多少
幫著一點：他還親手舀著水
替他們洗腳，猶大斯都有分，
還拿自己的腰布替他們擦乾！
誰知那大個兒的黑臉他，沒等
擦乾嘴，就拏他主人去換錢：——
聽說那晚耶穌與他的門徒

在橄欖山上歇著，冷不防來了，
猶大斯帶著路，天不亮就幹，
樹林裏密密的火把像火蛇，
蜒著來了，眞惡毒，比蛇還毒；
他一上來就親他主人的嘴，
那是他的信號，耶穌就倒了霉，
趕明兒你看，他的鮮血就在
十字架上凍著！我信他是好人；
就算他壞，也不該讓猶大斯
那樣骯髒的賣，那樣骯髒的賣！

——

我看著慘，看他生生的讓人
釘上十字架去，當賊受罪，我不幹！
你沒聽著怕人的預言？我聽說
公道一完事，天地都得昏黑——
我真信，天地都得昏黑——回家罷！

118

一條金色的光痕（硤石土白）

得罪那，問聲點看，
我要來求見徐家格位太太，有點事體……
認眞則，格位就是太太，眞是老太婆哩，
眼睛赤花，連太太都勿認得哩！
是歐，太太，今朝特為打鄉下來歐，
為青青就出門；田裏西北風度來野歐，是歐，
太太，為點事體要來求求太太呀！

太太，我拉埭上，東橫頭，有個老阿太，
姓李，親丁末……老早死完哩，伊拉格大官官——
李三官，起先到街上來做長年歐，——早幾年
成了弱病，田末賣掉，病末始終勿曾好；
格位李家阿太老年格運氣眞勿好，全靠
場頭上東幫幫，西討討，喫一口白飯，
每年只有一件絕薄歐棉襖靠過冬歐，
上個月聽得話李家阿太流火病發，
前夜子西北風起，我野凍得瑟瑟叫抖，
我心裏想李家阿太勿曉得哪介哩，

昨日子我一早走到伊屋裏，眞是罪過！
老阿太已經去哩，冷冰冰歐滾在稻草裏，
野勿曉得幾時脫氣歐，野嘸不人曉得！
我野嘸不法子，只好去喊攏幾個人來，
有人話是餓煞歐，有人話是東煞歐，
我看一半是老病，西北風野作興有點歐；——
爲此我到街上來，善堂裏格位老爺
本里一具棺材，我乘便來求求太太，
做做好事，我曉得太太是頂善心歐，
頂好有舊衣裳本格件把，我還想去

買一刀錠箔；我自己屋裏野是滑白歐，
我只有五升米燒頓飯本兩個幫忙歐喫，
伊拉抬了材，外加收作，飯總要喫一頓歐，
太太是勿是？……，噯，是歐！噯，是歐！
喔唷，太太認眞好來，眞體邺我拉窮人……
格套衣裳正好……喔唷害太太還要
難爲洋鈿……喔唷，喔唷……我只得
朝太太磕一個響頭，代故世歐謝謝！
喔唷，那末眞眞多謝，眞歐，太太……

灰色的人生

我想—我想開放我的寬闊的粗暴的嗓音，唱一支野蠻
的大膽的駭人的新歌；
我想拉破我的袍服，我的整齊的袍服，露出我的胸膛，肚
腹，脊骨與筋絡；
我想放散我一頭的長髮，像一個遊方僧似的散披着一
頭的亂髮；
我也想跳我的脚，跳我的脚，在巉牙似的道上，快活地，無

畏地走着。

我要調諧我的嗓音，傲慢的，粗暴的，唱一闋荒唐的，摧殘的；彌漫的歌調；
我伸出我的巨大的手掌，向着天與地，海與山，無饜地求討，尋撈；
我一把揪住了西北風，問他要落葉的顏色，
我一把揪住了東南風，問他要嫩芽的光澤；
我蹲身在大海的邊旁，傾聽他的偉大的酣睡的聲浪；
我捉住了落日的彩霞，遠山的露靄，秋月的明輝，散放在

124

我的髮上，胸前，袖裏，脚底……

我只是狂喜地大踏步地向前——向前——口唱着暴烈的，
粗傖的不成章的歌調；

來，我邀你們到海邊去，聽風濤震撼大空的聲調；
來，我邀你們到山中去，聽一柄利斧斫伐老樹的清音；
來，我邀你們到密室裏去，聽殘廢的，寂寞的靈魂的呻吟；
來，我邀你們到雲霄外去，聽古怪的大鳥孤獨的悲鳴；
來，我邀你們到民間去，聽衰老的，病痛的，貧苦的，殘毀的，
受壓迫的，煩悶的，奴服的，懦怯的，醜陋的。罪惡的，自殺
的，——和着深秋的風聲與雨聲——合唱的『灰色的人生』！

125

破廟

慌張的急雨將我
趕入了黑叢叢的山坳，
迫近我頭頂在騰拏，
惡很很的烏龍鉅爪；
棗樹兀兀的隱蔽着
一座靜悄悄的破廟，
我滿身的雨點雨塊，

躲進了昏沈沈的破廟；

雷雨越發來得大了！
霍隆隆半天裏霹靂，
豁喇喇林葉樹根苗，
山谷山石，一齊怒號，
千萬條的金剪金蛇，
飛入陰森森的破廟，
我渾身戰抖，趁電光
估量這冷冰冰的破廟；

我禁不住大聲嘑嗷；
電光火把似的照耀，
照出我身旁神龕裏
一個青面獰笑的神道，
電光去了，霹靂又到，
不見了獰笑的神道；
硬雨石塊似的倒瀉—
我獨身藏躲在破廟；

128

千年萬年應該過了！
只覺得渾身的毛竅
只聽得駭人的怪叫，
只記得那兒惡的神道，
忘了我現在的破廟；
好容易雨收了，雷休了，
血紅的太陽，滿天照耀，
照出一個我，一座破廟！

戀愛到底是什麼一回事

戀愛他到底是什麼一回事？——
他來的時候我還不曾出世；
太陽爲我照上了二十幾個年頭，
我只是個孩子，認不識半點愁；
忽然有一天——我又愛又恨那一天——
我心坎裏癢齊齊的有些不連牽，
那是我這輩子第一次的上當，

130

有人說是受傷——你摸摸我的胸膛——
他來的時候我還不曾出世，
戀愛他到底是什麼一回事？

這來我變了，一隻沒籠頭的馬，
跑遍了荒涼的人生的曠野；
又像是那古時間獻璞玉的楚人，
手指着心窩，說這裏面有眞有眞，
你不信時一刀拉破我的心頭肉，
看那血淋淋的一掬是玉不是玉；

血！那無情的宰割，我的靈魂！
是誰逼迫我發最後的疑問？

疑問！這回我自己幸賁我的夢醒，
上帝，我沒有病，再不來對你呻吟！
我再不想成仙，蓬萊不是我的分；
我只要這地面，情願安分的做人，——
從此再不問戀愛是什麼一回事，
反正他來的時候我還不會出世！

常州天寧寺聞禮懺聲

有如在火一般可愛的陽光裏，偃臥在長梗的，雜亂的叢草裏聽初夏第一聲的鷓鴣，從天邊直響入雲中，從雲中又迴響到天邊；

有如在月夜的沙漠裏，月光溫柔的手指，輕輕的撫摩着一顆顆熱傷了的砂礫，在鵝絨般軟滑的熱帶的空氣裏，聽一個駱駝的鈴聲，輕靈的，輕靈的，在遠處響着，近了，近了，又遠了……

有如在一個荒涼的山谷裏，大胆的黃昏星，獨自臨照着陽
　光死去了的宇宙，野草與野樹默默的祈禱着，聽一個瞎
　子，手扶着一個幼童，鐺的一響算命鑼，在這黑沉沉的世
　界裏回響着；

有如在大海裏的一塊礁石上，浪濤像猛虎般的狂撲着，天
　空緊緊的繃着黑雲的厚幕，聽大海向那威嚇着的風暴，
　低聲的，柔聲的，懺悔他一切的罪惡；

有如在喜馬拉雅的頂顚，聽天外的風，追趕着天外的雲的
　急步聲在無數雪亮的山壑間迴響着；

有如在生命的舞台的幕背，聽空虛的笑聲，失望與痛苦的

呼籲聲，殘殺與淫暴的狂歡聲，厭世與自殺的高歌聲，在
生命的舞台上合奏着；

我聽着了天寧寺的禮懺聲！

這是那裏來的神明？人間再沒有這樣的境界！

這鼓一聲，鐘一聲，磬一聲，木魚一聲，佛號一聲……樂音在
大殿裏，迂緩的，曼長的迴盪着，無數衝突的波流諧合了，
無數相反的色彩淨化了，無數現世的高低消滅了……

這一聲佛號，一聲鐘，一聲鼓，一聲木魚，一聲磬，諧音盤礴在
宇宙間——解開一小顆時間的埃塵，收束了無量數世
紀的因果；

這是那裏來的大和諧——星海裏的光彩，大千世界的音
籟，眞生命的洪流：止息了一切的動，一切的擾攘；

在天地的盡頭，在金漆的殿椽間，在佛像的眉宇間，在我的
衣袖裏，在耳鬢邊，在官感裏，在心靈裏，在夢裏……

在夢裏，這一瞥間的顯示；青天，白水，綠草慈母溫軟的胸懷，
是故鄉嗎？是故鄉嗎？
光明的翅羽，在無極中飛舞！
大圜覺底裏流出的歡喜，在偉大的，莊嚴的，寂滅的，無疆的
和諧的靜定中實現了！
頌美呀，涅槃！讚美呀，涅槃！

毒藥

今天不是我歌唱的日子，我口邊涎著獰惡的微笑，不是我說笑的日子，我胸懷間插著發冷光的利刃；

相信我，我的思想是惡毒的因爲這世界是惡毒的，我的靈魂是黑暗的因爲太陽已經滅絕了光彩，我的聲調是像墳堆裏的夜鴞因爲人間已經殺盡了一切的和諧，我口音像是寃鬼責問他的仇人因爲一切的恩已經讓路給一切的怨；

但是相信我，眞理是在我的話裏雖則我的話像是毒藥，眞理是永遠不含糊的雖則我的話裏彷彿有兩頭蛇的舌，蝎子的尾尖，蜈蚣的觸鬚；只因為我的心裏充滿着比毒藥更強烈，比咒詛更很毒，比火燄更猖狂，比死更深奧的不忍心與憐憫心與愛心，所以我說的話是毒性的咒詛的，燎灼的，虛無的；

相信我，我們一切的準繩已經埋沒在珊瑚土打緊的墓宮裏，最勁烈的祭肴的香味也穿不透這嚴封的地層：一切的準則是死了的；

我們一切的信心像是頂爛在樹枝上的風箏，我們手裏擎著這迸斷了的鶴綫：一切的信心是爛了的；

相信我，猜疑的巨大的黑影：像一塊烏雲似的，已經籠蓋著人間一切的關係：人子不再悲哭他新死的親娘，兄弟不再來攜著他姊妹的手，朋友變成了寇讎，看家的狗回頭來咬他主人的腿：是的，猜疑淹沒了一切；在路旁坐著啼哭的，在街心裏站著的，在你窗前探望的，都是被姦污的處女：池潭裏只見些爛破的鮮艷的荷花；

在人道惡濁的澗水裏流著，浮荇似的，五具殘缺的屍體，他們是仁義禮智信，向著時間無盡的海瀾裏流去；

這海是一個不安靖的海，波濤昌厥的翻著，在每個浪頭的小白帽上分明的寫著人欲與獸性；

到處是姦淫的現象：貪心摟抱著正義，猜忌逼迫著同情，
懦怯狎褻著勇敢，肉欲侮弄著戀愛，暴力侵毀著人道，
黑暗踐踏著光明；

聽呀，這一片淫猥的聲響，聽呀，這一片殘暴的聲響；

虎狼在熱鬧的市街裏，强盜在你們妻子的床上，罪惡在
你們深奧的靈魂裏……

白旗

來，跟著我來，拿一面白旗在你們的手裏——不是上面
寫著激勵怨毒，鼓勵殘殺字樣的白旗，也不是塗著不
潔淨血液的標記的白旗，也不是畫著懺悔與咒語的
白旗（把懺悔畫在你們的心裏）；

你們排列著，噤聲的，嚴肅的，像送喪的行列，不容許臉上
留存一絲的顏色，一毫的笑容，嚴肅的，噤聲的，像一隊
決死的兵士；

142

現在時辰到了，一齊舉起你們手裏的白旗，像舉起你們的心一樣，仰看着你們頭頂的青天，不轉瞬的，恐惶的，像看著你們自己的靈魂一樣；

現在時辰到了，你們讓你們熬著，壅著，迸裂着，滾沸着的眼淚流，直流，狂流，自由的流，痛快的流，盡性的流，像山水出峽似的流，像暴雨傾盆似的流……

現在時辰到了，你們讓你們咽著，壓迫著，掙扎著，洶湧著的聲音嚎，直嚎，狂嚎，放肆的嚎，兇很的嚎，像颶風在大海波濤間的嚎，像你們喪失了最親愛的骨肉時的嚎

……

現在時辰到了，你們讓你們回復了的天性懺悔，讓眼淚
的滾油煎淨了的，讓豪慟的雷霆震醒了的天性懺悔，
默默的懺悔，悠久的懺悔，沈徹的懺悔，像冷峭的星光
照落在一個寂寞的山谷裏，像一個黑衣的尼僧匐伏
在一座金漆的神龕前；

……………………

在
在眼淚的沸騰裏，在嚎慟的酣徹裏，在懺悔的沈寂裏，你
們望見了上帝承久的威嚴。

144

嬰兒

我們要盼望一個偉大的事實出現，我們要守候一個馨
香的嬰兒出世：——
你看他那母親在她生產的床上受罪！
她那少婦的安詳，柔和，端麗，現在在劇烈的陣痛裏變
形成不可信的醜惡：你看她那徧體的筋絡都在她薄
嫩的皮膚底裏暴漲著，可怕的青色與紫色，像受驚的
水青蛇在田溝裏急泅似的，汗珠站在她的前額上像

一顆顆的黃豆，她的四肢與身體猛烈的抽搐著，崎屈著，奮挺著，糾旋著，彷彿她墊着的蓆子是用針尖編成的，彷彿她的帳圍是用火燄織成的；一個安詳的，鎮定的，端莊的，美麗的少婦，現在在絞痛的慘酷裏變形成魔鬼似的可怖：她的眼，一時緊緊的闔着，一時巨大的睜着，她那眼，原來像冬夜池潭裏反映着的明星，現在吐露着青黃色的兇燄，眼珠像是燒紅的炭火，映射出她靈魂最後的奮鬪，她的原來朱紅色的口唇，現在像是爐底的冷灰，她的口顫着，撅着，扭着，死神的熱烈的親吻不容許她一息的平安，她的髮

146

是散披着，橫在口邊，漫在胸前，像揪亂的麻絲，她的手
指間緊抓着幾穗撑下來的亂髮；
這母親在她生產的床上受罪：——
但她還不曾絕望，她的生命掙扎着血與肉與骨與肢
體的纖微，在危崖的邊沿上，抵抗着，搏鬥着死神的逼
迫；
她還不曾放手，因爲她知道（她的靈魂知道！）這苦
痛不是無因的，因爲她知道她的胎宮裏孕育着一點
她自己更偉大的生命的種子，包涵着一個比一切更
永久的嬰兒；

因爲她知道這苦痛是嬰兒要求出世的徵候，是種子
在泥土裏爆裂成美麗的生命的消息，是她完成她自
己生命的使命的時機；
因爲她知道這忍耐是有結果的，在她劇痛的昏瞀中
她彷彿聽着上帝准許人間祈禱的聲音，她彷彿聽着
天使們讚美未來的光明的聲音；
因此她忍耐着，抵抗着，奮鬥着……她抵拚繃斷她統
體的纖微，她要贖出在她那胎宮裏動盪着的生命，在
她一個完全，美麗的嬰兒出世的盼望中，最銳利，最沉
酣的痛感逼成了最銳利最沉酣的快感……

一九二八年八月重印初版

甲種實價八角半

著者 徐志摩

發行者 新月書店

總發行所 上海望平街一六一號 新月書店